Blancheneige

© 1992 THE WORLD - GRUPPO EDITORIALE RUBRICART S.R.L.
© 1992 ÉDITIONS RONDE DU TOURNESOL
Zone industrielle Limay-Porcheville
Rue Charles Tellier - 78520 Limay (FRANCE)
Téléphone: (1) 34 77 22 22
Télécopieur: (1) 34 77 43 80
Imprimé en Espagne par SUSAETA EDICIONES
Dépot Légal 1992
Loi 49-956 du 16 juillet 1949
sur les publications destinées à la jeunesse
I.S.B.N. 2-7367-0835-0 - Printed in Spain

La marâtre de Blancheneige, qui était jalouse de sa beauté, ordonna à un chasseur de la tuer.

Le chasseur fut incapable de commettre ce crime. Il expliqua à la princesse qu'elle devait fuir.

Après avoir longtemps erré dans la forêt,
Blancheneige aperçut une jolie
maisonnette et elle entra.

La maison appartenait à des nains qui
trouvèrent la fillette endormie lorsqu'ils
rentrèrent du travail.

Blancheneige leur raconta son histoire
et ils lui proposèrent de rester vivre
avec eux.

Le lendemain, les nains partirent
travailler et ils lui firent promettre de
n'ouvrir à personne.

Mais le miroir magique avait appris
à la marâtre que Blancheneige était
toujours en vie.

Déguisée en vieille femme, la marâtre
alla frapper à la porte de la maisonnette
des sept nains.

La jeune princesse eut pitié de la vieille
marchande et elle lui acheta une belle
pomme rouge... empoisonnée.

Blancheneige mordit la pomme à pleines dents et tomba aussitôt dans un profond sommeil.

La marâtre, heureuse d'être désormais la plus belle du royaume, retourna rapidement au château.

Lorsque les nains rentrèrent du travail,
ils crurent Blancheneige morte. Ils la
couchèrent sur un lit blanc et la

veillèrent deux jours et deux nuits.
Un beau prince vint alors à passer. Il la
trouva si belle qu'il s'approcha...

Il déposa un baiser sur sa main et
Blancheneige ouvrit les yeux. Ils se
marièrent et furent très heureux.

La Cigale et la Fourmi

C'était l'été et la cigale se reposait
tranquillement sur une grande feuille,
tout en chantant.

–Tra la lalère... Que c'est agréable de
ne rien faire! Que je suis heureuse!
pensait-elle.

Pendant ce temps-là, les petites fourmis
faisaient des provisions... car l'hiver
approchait.

—Que fais-tu là, petite fourmi? Pourquoi n'arrêtes-tu pas de travailler?
—N'écoute pas cette paresseuse de

cigale, dit la reine des fourmis à la
petite fourmi, et va plutôt aider tes
compagnes.

L'automne arriva. La cigale continuait
à chanter, à ne rien faire, et les fourmis
à travailler.

—Ramassons vite les derniers grains,
l'hiver est très long! disaient les fourmis.
Et elles travaillaient avec acharnement.

Puis vint l'hiver. La cigale n'avait pas de foyer et surtout elle n'avait rien à manger.

–Comme j'ai été inconsciente! Si seulement j'avais fait comme les fourmis! se lamentait-elle.

Elle était sur le point de mourir,
congelée, lorsque des fourmis la
trouvèrent et l'emmenèrent chez elles.

En hiver, les fourmis ne travaillaient pas; elles profitaient de leurs vacances et vivaient de leurs réserves.

Les fourmis lui ôtèrent ses vêtements
mouillés, la réchauffèrent et lui
donnèrent à manger.

—Tu vois à quoi tu en es réduite! lui
reprocha la reine des fourmis.
—Pardonnez-moi, répondit la cigale.

La cigale promit de ne plus être
paresseuse et les fourmis organisèrent
une grande fête.

Le Lièvre et la Tortue

—Pousse-toi, satanée tortue! Tu es
toujours là, à gêner, disait sans cesse
le lièvre à la tortue.

—J'en ai assez! dit la tortue. Tu te moques toujours de moi et de ma lenteur.

—C'est bon, répondit le lièvre; nous
allons faire une course et, si tu gagnes,
je promets de ne plus t'ennuyer.

La tortue accepta et tous les animaux s'approchèrent de la ligne de départ pour ne rien perdre de l'événement.

Le départ fut donné.
Le lièvre partit comme une flèche,
laissant la tortue loin derrière.

–Que cette tortue est donc bête! Faire la course avec moi! pensa le lièvre.
En effet, elle était loin derrière lui.

Sûr de sa victoire, il décida de prendre
du bon temps et de faire une sieste sous
un arbre.

—Alors, petite tortue... C'est dur, n'est-
ce-pas? Comme tu transpires! lui dit-il
en la voyant passer.

La tortue continua son chemin, très
lentement, comme si elle n'avait rien
entendu.

—Je te laisse prendre un peu d'avance,
lui dit le lièvre d'un ton condescendant.
Je te rattraperai plus tard.

—Ce lièvre est bien orgueilleux! dit une
petite souris qui avait tout entendu.
La tortue continua son chemin.

Mais le lièvre s'endormit et ce qui devait
arriver arriva: la tortue arriva la
première.

Lorsqu'il se réveilla, il se rendit compte
avec surprise qu'il était trop tard et qu'il
avait perdu la course.

Les animaux préparèrent une fête. Ils
invitèrent le lièvre mais il avait
tellement honte qu'il ne vint pas.